www.ingramcontent.com/pod-product-compliance
Lightning Source LLC
Chambersburg PA
CBHW051422070526
44584CB00023B/3543
* 9 7 8 1 8 9 1 6 6 2 3 2 4 *

# טִיוּלִים

A Hebrew Primer

# Classroom Workbook

## Script Edition

Jane Golub,
Joel Lurie Grishaver
Alan Rowe & Laurie Bellet
Illustrated by
Christine Tripp

Dear Teacher,

Most lessons contain a reading exercise, a writing exercise and a fun exercise for students to work on together. To make sure that this classroom workbook was not completely mechanical, we varied the presentation of these pages. Sometimes the reading is first, and sometimes the writing is first.

You should complete the exercises in the order you want. You might choose first to do the writing exercises and then do the reading or even the fun exercises. We've created the material. It is up to you to choose how you use it.

Copyright © 2003 Torah Aura Productions

Published by Torah Aura Productions

ISBN 1-891662-31-7

All rights reserved. No part of this publication may be reproduced or transmitted in any form or by any means graphic, electronic or mechanical, including photocopying, recording or by any information storage and retrieval system, without permission in writing from the publisher.

TORAH AURA PRODUCTIONS

MANUFACTURED IN THE UNITED STATES OF AMERICA

LESSON 1

Some of these balloons say the word that means "quiet." Draw a line through the balloons that do not say "quiet!"

## Writing Practice

Trace the way the letter שׁ is formed before you try it yourself.

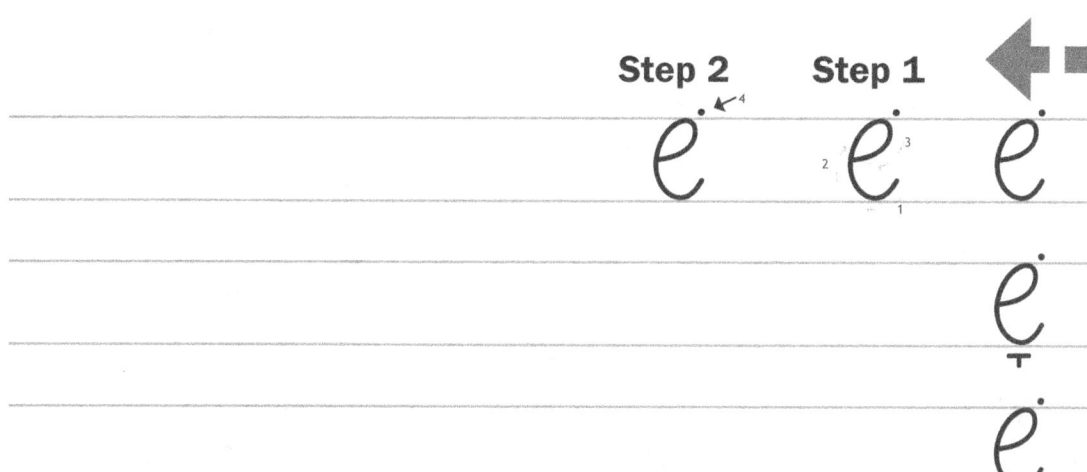

Step 2 Step 1

All these penguins have Hebrew sounds on their "T-shirts." Read each sound and circle the one that is different in each group of penguins.

Circle the sounds that are the same on each line.

1. שָׁ הַשָׁ בָּהָ שַׁה שָׁשָׁ

2. בַּה שָׁה שַׁשַׁ בָּה שָׁשָׁ

3. בָּבָּ שַׁשׁ שָׁשׁ בָּשָׁ שָׁה

Say these sounds.

# LESSON 2

1. שָׁ שַׁ שָׁה שַׁה
2. בָּ בַּ בָּה בַּה שָׁבָּ שַׁבָּ שָׁבַּ שַׁבַּ
4. בָּשָׁ שַׁה בָּשָׁה בַּשַׁה שָׁ
5. שָׁשַׁה שַׁבָּה בַּבָּה בָּשָׁה
6. שַׁ בַּ בָּשָׁ בַּשַׁ שַׁשׁ בַּשׁ בָּה בָּבַּשׁ
7. בָּה שָׁה בַּה שַׁה בָּשָׁה בַּבָּ בַּ שַׁבָּה
8. שָׁבַּה בַּבָּה שַׁבָּה בָּשָׁה בַּבָּה שַׁבָּ בָּשַׁה
9. שַׁבָּה שָׁבָּה בַּבָּה בַּשָׁה שַׁבַּה בָּבַּשׁ בַּשׁ

## Writing Practice

Step 2 Step 1

Help the train go around the world.

Read the sound in each car as fast as you can.

Try again. Can you go even faster?

Cross out all the sounds that don't match the sound in the grey box.

| | | | | | | |
|---|---|---|---|---|---|---|
| .1 | שַׁ | שָׁ | בָּ | שַׁת | שַׁה | שַׁה |
| .2 | בָּ | בָּ | בַּה | שַׁ | בָּה | בָּה |
| .3 | תַּה | בַּת | שָׁה | תָּ | תַּ | בַּת |
| .4 | בָּה | בָּה | שַׁ | בַּ | בָּה | בָּה |
| .5 | בָּשׁ | תָּשׁ | בָּשׁ | בָּת | שַׁבָּ | בַּשׁ |
| .6 | בַּת | שַׁה | בָּת | שַׁבָּת | בָּת | תָּשׁ |
| .7 | שַׁבָּת | שַׁבָּת | בַּשָׁת | שָׁבַּה | תַּבָּשׁ | שָׁבָּת |

## Writing Practice

Step 1 Step 2

תּ ת תּ

Print some תּ words here:

בַּת

שַׁבָּת

The Good Ship Shabbat is setting sail. Connect the ticket piece below. Find the tickets that say שַׁבָּת.

שַׁבָּת
בָּת
תַּבָּ
בָּת
בָּשׁ
בָּשׁ
שַׁתָּ
שַׁ
ת
בָּת
תָּבּ
תָּ
שַׁ
Don't let the ship sail without you!
בַּה
שַׁ

Try reading these sounds and words.

1. לָ לָה לוֹא לַה לַ לוֹא

2. לוֹ לוֹא בּוֹא בּוֹ שׁוֹ שׁוֹא לוֹא

3. תָּ תּוֹ תָּה בַּת לַבּ תּוֹל בּוֹל

4. שׁוֹ שָׁה שׁוֹשָׁה

5. שׁוֹ תָּה שׁוֹתָּה

6. בּוֹ שָׁה בּוֹשָׁה

7. תּוֹ לָה תּוֹלָה

8. בַּ לָשׁ בַּלָשׁ

9. שַׁבָּת בַּ שַׁ בָּת בַּשַׁבָּת

## Writing Practice

Step 1

ל ל

Step 2 Step 1

ו ו ו

Print some "low" combinations here:

לו

Turn every ■ָ into a וֹ and every וֹ into a ■ָ.

Be careful not to change the ■ַ vowels.

Write and read your new creations.

| | | | |
|---|---|---|---|
| בָּשׁ | בוש | תָּלָה | |
| שַׁבָּת | | בַּת | |
| לָא | | שַׁבּוֹת | |
| בָּלָה | | בָּא | |

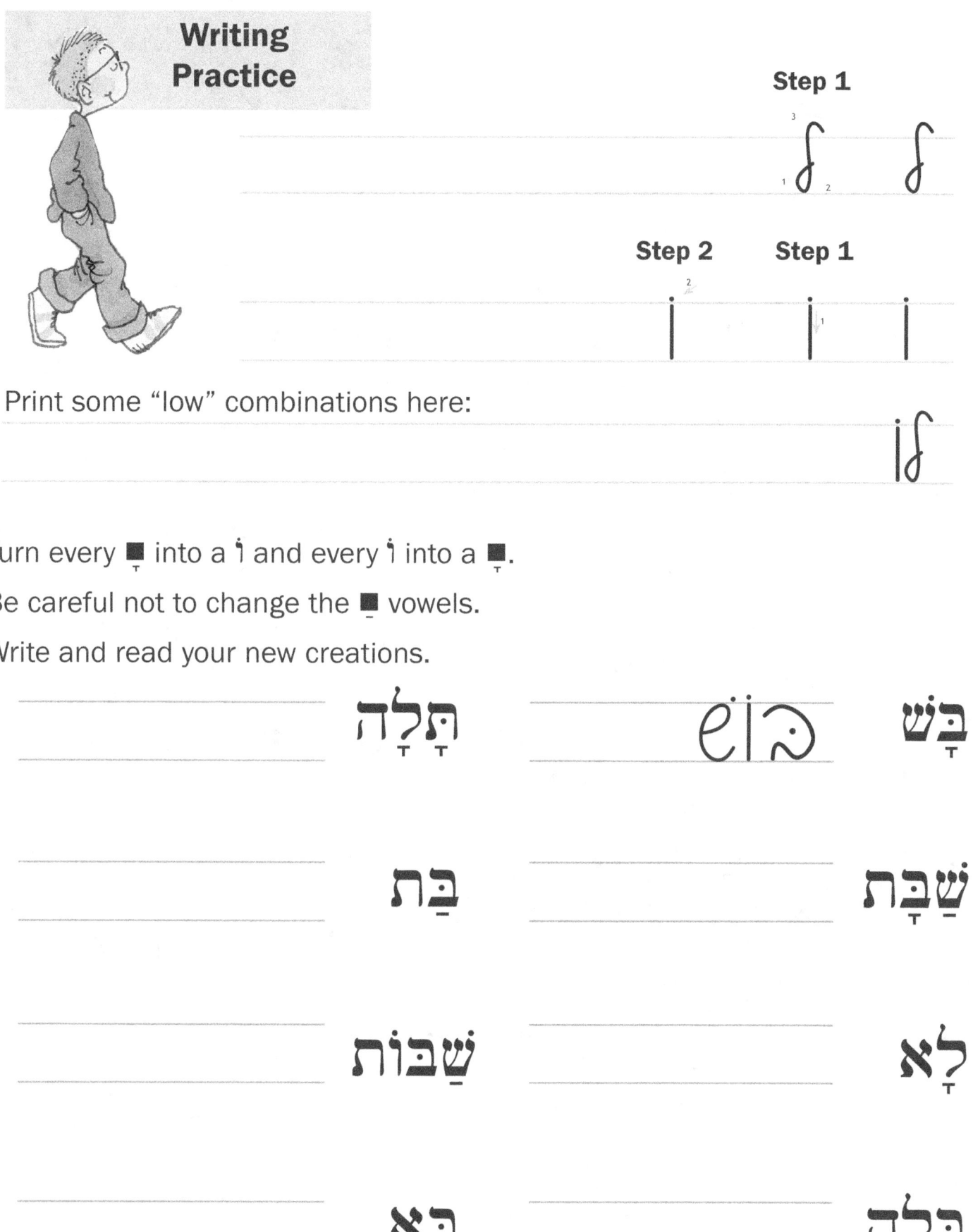

# Bookworms

Read the word on each bookworm. Select a book. Read the word parts on each page. Draw a path between each bookworm and its matching book.

## LESSON 5

Play Tic Tac Toe with a friend.

If you sound out a square correctly, you may mark it X or O.

| | | |
|---|---|---|
| מוֹא | לוֹא | מָשָׁל |
| תָּל | לָת | בַּשׁ |
| מָם | שׁוֹם | בָּא |

| | | |
|---|---|---|
| מָה | מוֹת | תּוֹם |
| בָּא | שָׁמַם | שָׁם |
| לוֹ | מוֹם | בּוֹא |

| | | |
|---|---|---|
| לוֹא | תָּם | מָשָׁל |
| שַׁבָּת | בָּלַם | בַּת |
| בָּם | שָׁלוֹם | בּוֹא |

Practice these sounds and words.

1. מַ תָּא בּוֹא מוֹ שָׁא מָ שָׁל
2. לָשׁ לוֹ מוֹל בַּם שָׁם מָשָׁל
3. תָּם תּוֹם בָּלַם בָּם מָה בָּלַם
4. שַׁם בַּת שַׁבָּת שָׁלוֹם לוֹא תָּלָה
5. שָׁמַם שָׁתָל שָׁתָה תָּם מוֹם

## Printing Practice

Step 1

Step 1

Now practice writing the י.

Step 1

Put the right מֶם in each word.

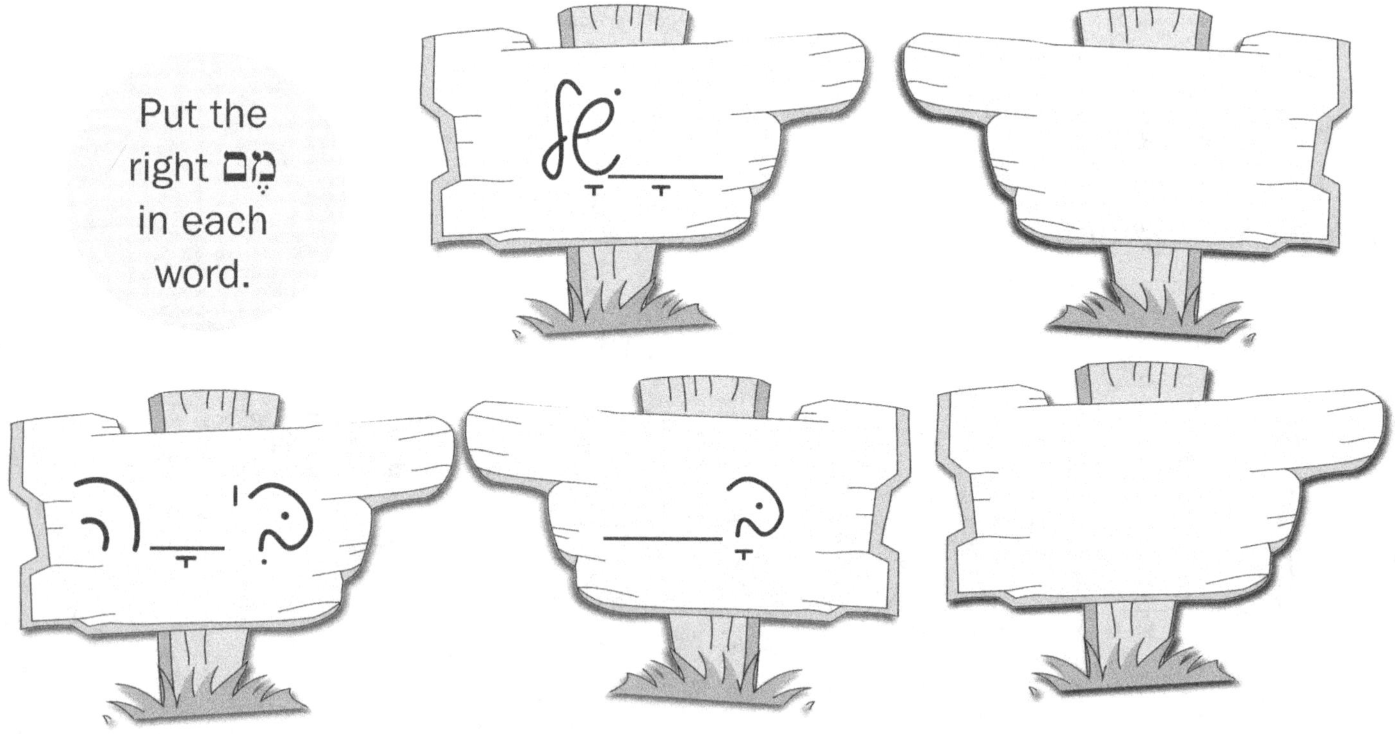

**Telephone Transformers:** Play a game of "Telephone" by reading along the telephone line. Watch and hear how the sounds transform. How quickly can you transform לָשׁוֹת to שָׁלוֹם?

לָשׁוֹת לָמוֹת לִימוֹת בִּימוֹת

בִּימַת בִּימָה בִּילָה בָּלַה

בָּלַשׁ בָּלַם מָלַם מָלוֹם

שָׁלוֹם

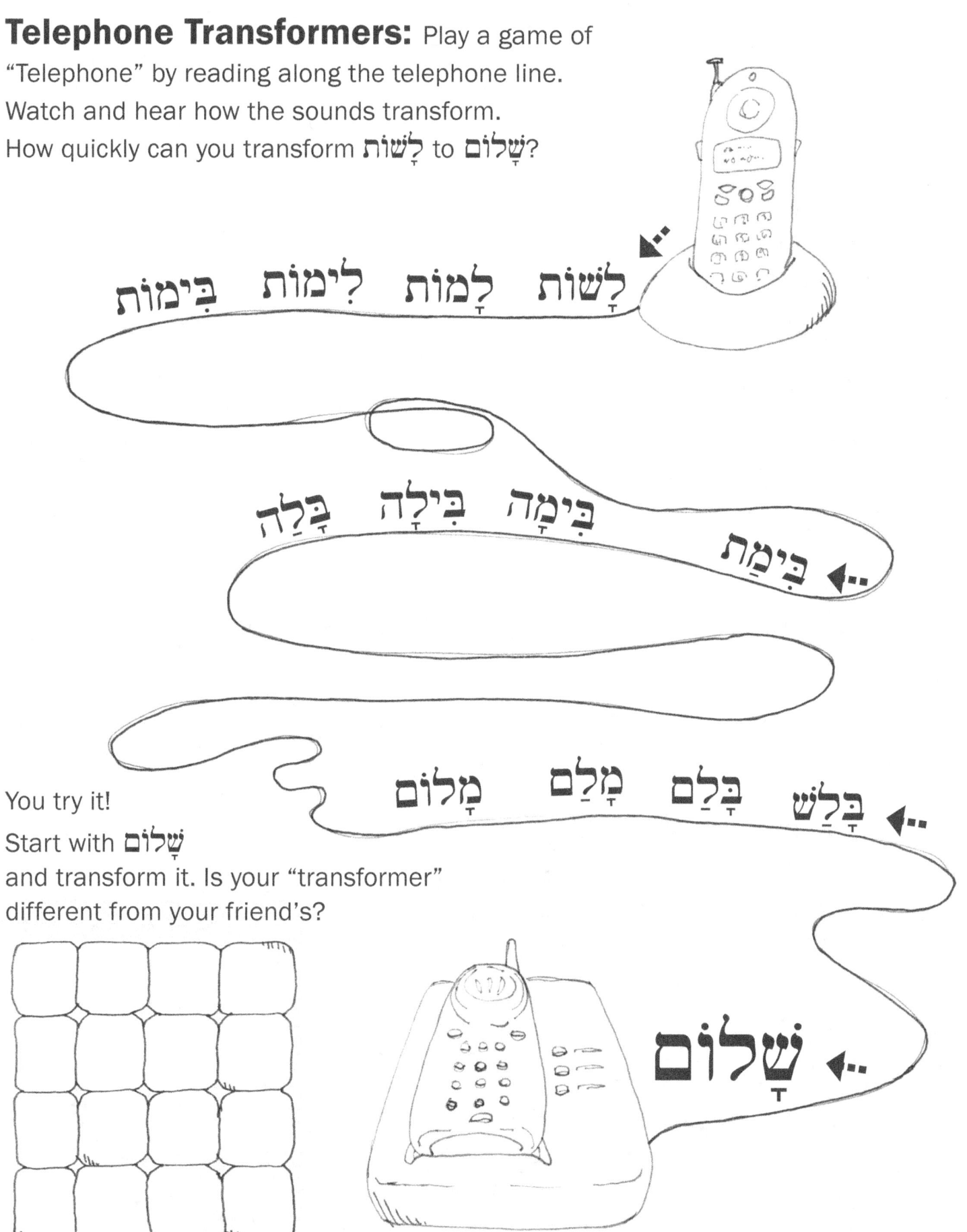

You try it!

Start with שָׁלוֹם and transform it. Is your "transformer" different from your friend's?

## Writing Practice

Print some sounds and words with dynamic ד letters.

**Step 1**

ד ד

דוֹד

לָמַד

דָם

דוֹדִי

תָּמִיד

מוֹדִים

תַּלְמִיד

Read and read again.

1. דָם בִּים דוֹד שָׁם מִי לוֹא
2. לוֹד שְׁמִי לָמַד תּוֹדָה לָמָה
3. מוֹדָה דוֹדָה תָּמִיד שָׁלוֹם דוֹמָה
4. מִילָה בִּימָה דוֹמִים שְׁלוֹמִית שִׁשִּׁים לִבִּי
5. מוֹדִים תַּלְמִיד תַּלְמִידָה תַּלְמִידִים תַּלְמִידוֹת
6. לוֹמְדִים לוֹמְדוֹת מְלָמְדִים לִלְמוֹד

Practice writing these student words.

.1 

.2 

.3 

.4 

תַּלְמִידָה תַּלְמִידִים תַּלְמִיד תַּלְמִידוֹת

# I Spy

Ask a friend to go star gazing with you.

Example: Player 1 says "I Spy a star word with a שׁ, a בּ and a ת.
Player 2 finds and reads the star word and "spies" another.
One star is empty. Can you write your own star word?

תַּלְמִיד

תּוֹדָה

מִילָה

דוֹד

תָּמִיד

שְׁמִי

מוֹדִים

שַׁבָּת

# LESSON 7

Find the hidden word.

| | | |
|---|---|---|
| 1. | אָדָם | אַבָּאאִמָּאאָשְׁמָהאָדָםאִםאֲדָמָהדָםאַתָּה |
| 2. | אִישׁ | אִישָׁהאַתָּהבָּאָהאִישׁאִמִּיאוֹבּוֹאָהאָשְׁמָה |
| 3. | שׁוֹאָה | אִמוֹשׁוֹאָהשְׁלוֹמִיתאִישָׁהמִילָהאִמוֹתאִמוֹ |
| 4. | אוֹתוֹת | בָּאוֹתבְּאוֹתוֹתאוֹשָׁהשָׁלוֹםלוֹמְדִיםאוֹת |
| 5. | אִם | אִמִיאִמוֹאִמוֹתאוֹאִםבּוֹאִיבָּאִיםבָּאוֹת |
| 6. | בָּאִים | אוֹבּוֹאִיבּוֹאוֹבָּאוֹתבָּאבָּאִיםשָׁלוֹםאָדָם |
| 7. | דוֹאָה | אָשְׁמָהבּוֹאָהבָּאוֹתדוֹאָהאֲדָמָהשָׁלוֹםדָם |
| 8. | אֲדָמָה | דָםאָדָםשָׁלוֹםבָּאִיםשׁוֹאָהאֲדָמָהדוֹאָה |

## Writing Practice

Print some sounds and words with awesome א letters.

Step 2 | Step 1

א | א | א

אָדָם

אַבָּא

אִמָא

לוֹא

בּוֹא

מְאוֹד

שָׁלוֹם

**Boat Races:** Read the words and sounds as you race down each stream. Mark down the time. Which boat is the winner?

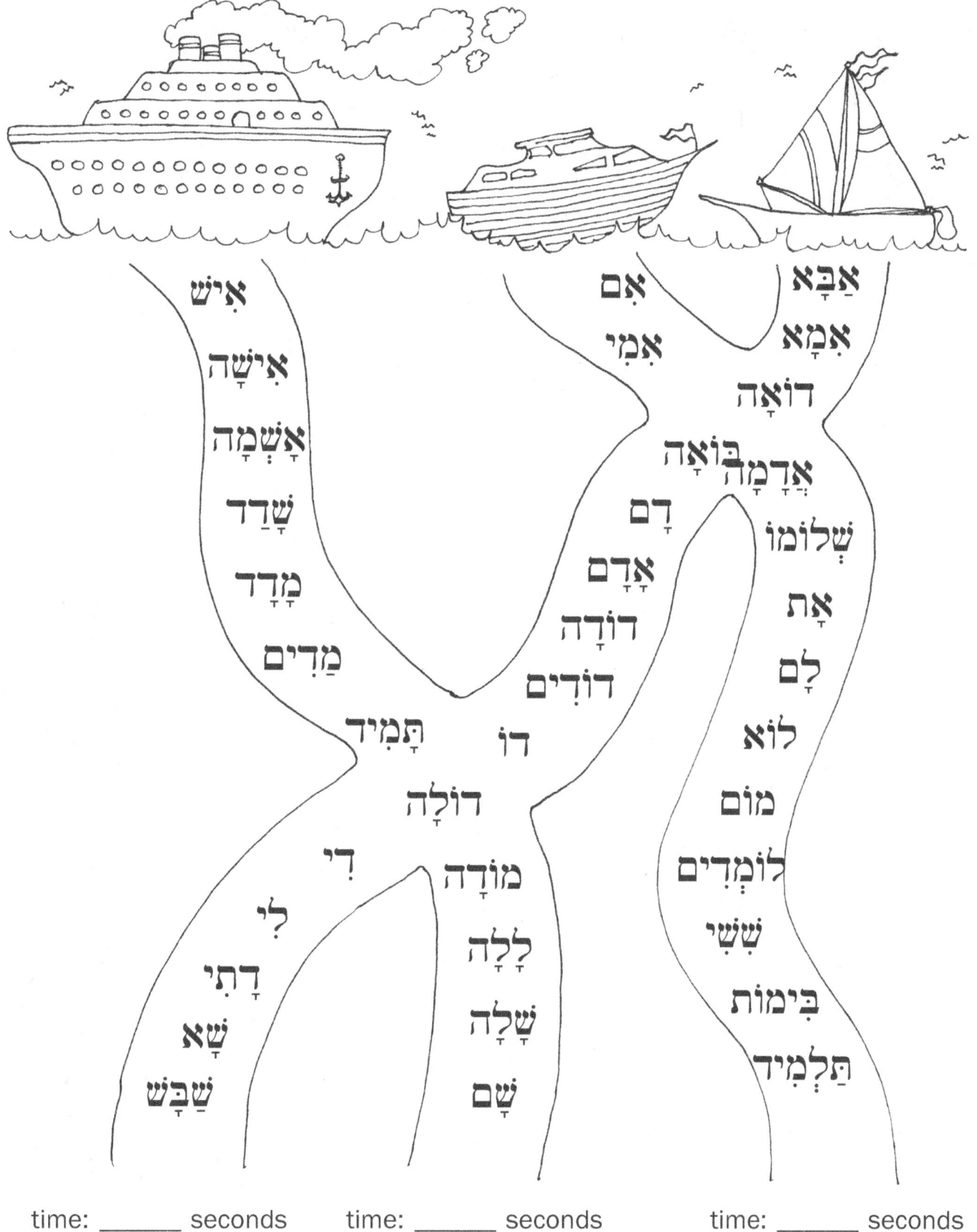

time: _____ seconds        time: _____ seconds        time: _____ seconds

## Writing Practice

First learn to write the נ and ן.

**Step 1**

נ נ

**Step 1**

ן ן ן

Now write some words with neat נ and ן letters.

כֲלנִי

נָתַן

אִין

שָׁנִים

פָּנִים

נוֹתְנִים

# Connect Four

Play with a friend. Choose a word and sound it out.

If you are correct, cover the word with your marker.

Try to get four words or sounds in a row while blocking your opponent.

| | | | | | | |
|---|---|---|---|---|---|---|
| שָׁנָה | דוֹדָה | בָּאִים | נָשִׁים | תָּמִיד | שָׁנִים | נָתַן |
| בּוֹא | בָּנִים | אֲנָשִׁים | אַבָּא | דָּן | לָשׁוֹן | אֲדוֹן |
| בִּינָה | מוֹדָה | מָנוֹת | מָנָה | תַּלְמִיד | בָּנוֹת | דִּין |
| בַּת | אִישׁ | שׁוֹאָה | שָׁלוֹם | תָּם | אָדָם | מִן |
| אַתָּה | מַה | מַלְבִּישׁ | נוֹתְנִים | נָא | נָדִין | דוֹד |
| אִם | אֲנִי | לִי | אַל | תַּלְמִידָה | בָּלַם | שַׁבָּת |
| דָּם | אָשְׁמָה | לוֹמְדִים | מִילָה | אוֹת | בּוֹאִי | מַמָּשׁ |

Connect the word parts on the arrows to reach the correct word signs. When you arrive at your destination, read the word aloud. There are extra arrows. Don't get lost!

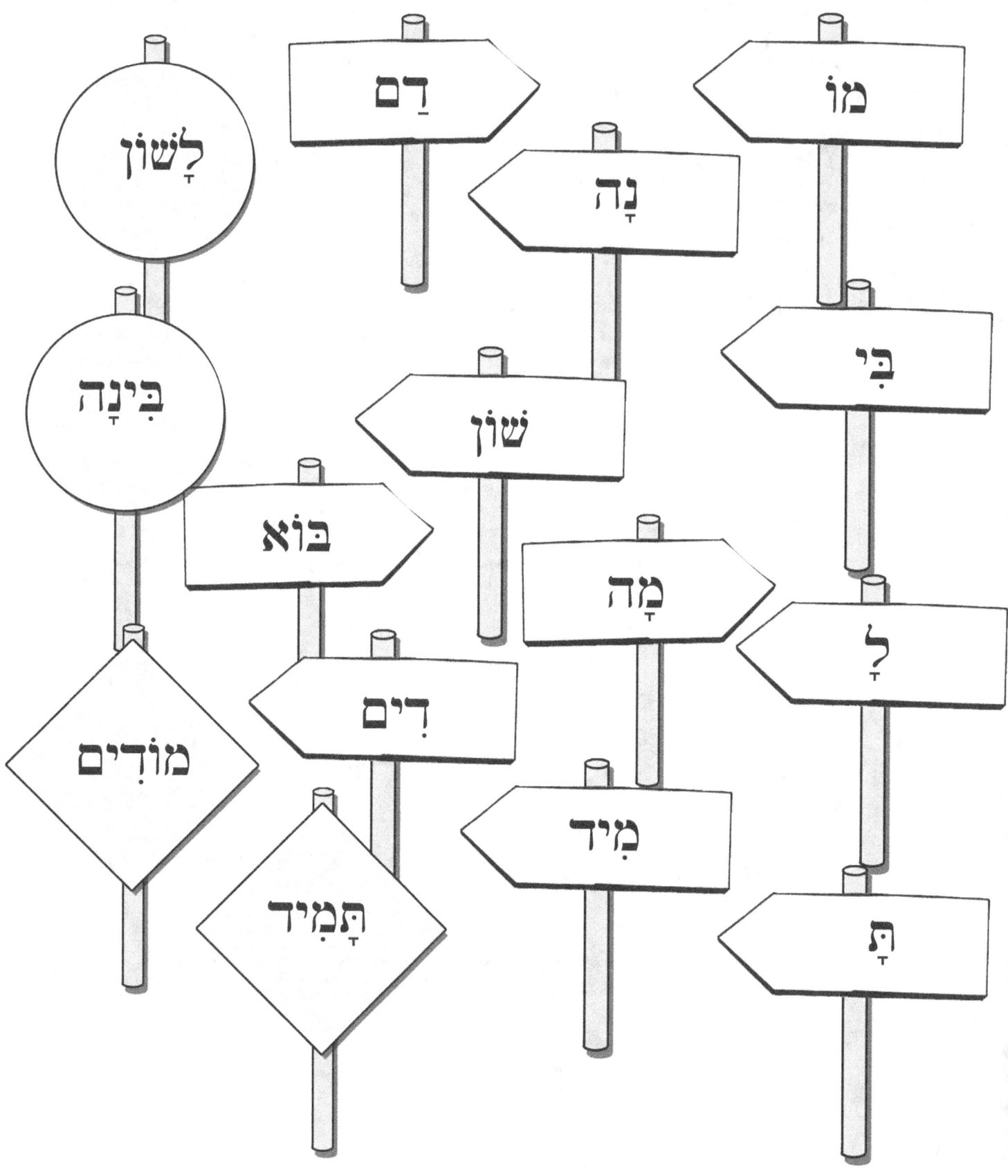

# LESSON 9

Practice these sounds and words that have a ה.

1. הוֹן מָהַל הָלַן נָהַם הָמָן
2. אַבָּא אוֹדָה שֵׁם בִּינָה
3. הוֹד אַלוֹן הָמַם הוֹדוּ הָהוֹן
4. הַהִיא הָלָה הוֹהַם הוֹדָה הוֹלֵל
5. אֲדָמָה הָאֲשָׁמָה הֶדָא הוֹשִׁיא
6. הָדַד הַדְבְשָׁה הַדְמָמָה הוֹדָאָה
7. הָאֲנָשָׁה הוֹדוֹת הוֹאִיל הוֹאֲלָה
8. הַדְלָלָה הוֹלַדָה הוֹלְמֵנִי הוּנָאָה
9. הַשְׁבָּלָה הָאַלְמָה הָאֲמָנָה הָאֲמָתָה

Make some heavenly ה letters.

**Step 1**

ה ה

Now write some heavenly words with ה.

הוֹן

הָמָן

בִּינָה

מָהַל

ההִיא

תּוֹדָה

הוֹדו

These bags can't find their proper tags. Draw a line from each bag to its rhyming tag. Cross out the remaining tags.

# LESSON 10

Let's see some ravishing ר letters.

**Step 1**

ר ר ר

Write each of these words with remarkable ר letters twice.

נֵר

נֵרוֹת

מְנוֹרָה

תּוֹרָה

אוֹר

אוֹרָה

לְהַדְלִיק נֵרוֹת

Practice these sounds and words that have a ר.

1. רֶשֶׁת שֶׁמֶר נוֹשֵׁר נֶשֶׁר
2. דַבֵּר רוֹמֵם מוֹרֶה מוֹרָה
3. אָמַר אָמַרְתִּי אֵשׁ הָר
4. שׁוֹמֵר נֵרוֹת אָמַרְתָּ אֲשֶׁר
5. אוֹמֵר אוֹמֶרֶת אוֹמְרִים אוֹמְרוֹת
6. רוֹאֶה רְאֵה לִרְאוֹת רָאָה
7. מְנוֹרָה אָרוֹן תּוֹרָה אוֹרָה הוֹרָה
8. בּוֹרֵא נוֹתֵן שֶׁמֶשׁ בָּרָא מָרוֹם רִינָה
9. נוֹתֵן נֶאֱמָן נֶאֱמַר דִּבַּרְתָּ בָּם
10. הַרְבֵּה לְאוֹרוֹ מְאוֹרוֹת אַרְמָדִיל

# Shuffle the Deck

Read the words on each card in order.

Now shuffle the deck. Rearrange the the numbers in the box below each card.

Read the cards with your new order. Shuffle the deck again and trade books with a friend to read.

| | | | |
|---|---|---|---|
| 4 אוֹר | 3 תָּמִיד | 2 נֶשֶׁר | 1 שָׁלוֹם |
| 8 לְדוֹדִי | 7 בָּרָא | 6 מְנוֹרָה | 5 אֲנִי |
| 12 תּוֹרָה | 11 מְדַבֵּר | 10 אָדוֹן | 9 הָאֲדָמָה |

LESSON 11

# Hopscotch

1. Each player will need a game marker.
2. Roll your marker onto the hopscotch board.
3. When the marker settles in a box, choose one of the words or sounds to read.
4. When you read the word or sound correctly, cross it out and add the points to your score.

Play alone or with a friend!

הֲבָרָה נָבִיא
דְבוֹרָה שְׁבִי

**3 POINTS EACH**

לָשֶׁבֶת אָהֲבָה
דְבַשׁ הֶבְדֵל

**2 POINTS EACH**

בֵּין לֵב דוֹב
שָׁלָב אָב אֶבֶן

**1 POINT EACH**

בְאָב מֵבִיא
לָבוֹא אָבוֹת

**2 POINTS EACH**

לְבִיבוֹת הַבְדָלָה
מִבְרֶשֶׁת הֵבִיא

**3 POINTS EACH**

תּוֹרָה מַה הֵבִין
מוֹבִיל דָבָר שֶׁבֶת

**1 POINT EACH**

לְבָנִין לְבָנָה
לְבָנִים לָבָן

**3 POINTS EACH**

לָבִיא לוֹבֵשׁ
לָבִישׁ לַבְלָב

**2 POINTS EACH**

Let's see some velvety ב letters.

**Step 1**

ב ב

Now write some words with a ב.

אָבוֹא

שָׁבַת

בִּדְבָרוֹ

1. מוֹדֶה נוֹרָא אָבוֹא אַהֲבָה
2. בָּאֵלִים אֲשֶׁר בִּדְבָרוֹ רַבָּה
3. דוֹדִי רַב שָׁבַת שֵׁשֶׁת
4. שִׁירָה יוֹמָם בּוֹרֵא אֱמֶת
4. הֵם לָבֵשׁ תָּמָר שֶׁבֶת שִׁיר
5. בּוֹאִי בְשָׁלוֹם בְּנֵי אֵלִים שָׁלוֹם רָב

This kite needs a strong wind in order to fly. Take a big breath. Can you read all the words from the lowest cloud up, with only that one big breath?

Challenge a friend to a kite flying contest.

You should be a whiz at making these ו letters.

**Step 1**

Now try writing these words with ו letters.

וָו

וֶרֶד

וַשְׁתִּי

וַאֲנִי

A ו between two words says "and." Finish these phrases so they say "___ AND ___."

1. אֲנִי ___ אַתָּה
2. תַּלְמִיד ___ תַּלְמִידָה
3. לְדוֹר ___ דוֹר
4. דוֹד ___ דוֹדָה
5. אִישׁ ___ אִשָּׁה

## Hebrew Roots

Hebrew builds words out of three-letter roots.

The root in the box is part of each word on that line.

Read each line. Can you find all the letters of the root?

| | | | | | | |
|---|---|---|---|---|---|---|
| 1. | אהב | אָהֲבָה | אוֹהֵב | וְאָהַבְתָּ | אַהֲבַת | |
| 2. | אמר | אוֹמֵר | אוֹמֶרֶת | אוֹמְרִים | אוֹמְרוֹת | |
| 3. | ראה | רוֹאֶה | רְאֵה | רָאָה | נִרְאָה | |
| 4. | בּרא | בּוֹרֵא | נִבְרָא | בְּרִיאָה | לִבְרִיאַת | |
| 5. | למד | לוֹמֵד | לוֹמְדוֹת | תַּלְמִידָה | לָמַד | |
| 6. | נתן | נָתַן | נוֹתֶנֶת | נִתַּן | נָתְנָה | נוֹתֵן |
| 7. | שׁמר | שָׁמַרְתִּי | שָׁמוֹר | נִשְׁמַר | שְׁמִירַת | |
| 8. | דבּר | וְדִבַּרְתָּ | מְדַבְּרוֹת | אֲדַבֵּר | לְדַבֵּר | |
| 9. | אוֹר | אוֹרָה | לְאוֹרוֹ | מְאוֹרוֹת | מְאוֹרֵי | |

**Climb Every Mountain:** Climb each of the mountains in order beginning at the bottom.

מַה נִּשְׁתַּנָּה נוֹרָה תְּהִלּוֹת מוֹדֶה אֲנִי וְדִבַּרְתָּ בָּם

# 3

You are ready now to tackle "Phrase Mountain." Draw a smiley face over each phrase you know.

וֹם אָרוֹן אֲנִי תּוֹרָה מְנוֹרָה מָרוֹר דֶּלֶת אָמֵן בִּימָה שָׁנָה

# 2

Time to challenge the words on this hill. Next, draw a square around each word your recognize.

דוֹא שִׁידָה שָׁתָל בָּם לִימוּת בָּלָשׁ דוֹאָה אִמּוֹ אוֹ

# 1

Let's climb the small slope first. Make your way up by reading each sound. Circle the easy ones.

# LESSON 13

| | | | |
|---|---|---|---|
| | דְּבַשׁ | מְנַהֵל | |
| | תַּלְמִידָה | נֵר תָּמִיד | |
| מְנַהֶלֶת | שָׁלוֹם | הַבְדָּלָה | רִמּוֹנִים |
| דּוֹדִי | בִּשְׁבָט | תּוֹרָה | דָּם |
| לִי | נֵר | אָדָם | נֵרוֹת |
| וַאֲנִי | בַּת | טוֹב | מָהִיר |
| לוֹ | מוֹדָה | וֶרֶד | דֶּלֶת |
| נָבִיא | אֲנִי | דְּבַשׁ | שָׁנָה |
| אַהֲבַת | הִנֶּנִי | אַבָּא | בֶּטֶן |
| בּוֹרֵא | שִׁירִים | מוֹרָה | טַלִּית |
| דְּבוֹרָה | נִשְׁמָתִי | בֵּן | בִּימָה |
| נִשְׁתַּנָּה | וְשִׁנַּנְתָּם | אָבִי | דּוֹב |
| מוֹרָה | לְבֵין | רַב | תַּלְמִידִים |
| תַּלְמִיד | אִשָּׁה | לֵב | אִמָּא |
| וְאָהַבְתָּ | תַּלְמִידוֹת | שַׁבָּת | אִישׁ |

TOUCHDOWN

David really wants to be a football player so he is practicing running up and down the field with the ball. Help David run faster by reading the words on the field as fast as you can.

But be careful. You will have to start over every time you make a mistake.

**Writing Practice**

Let's see some tasty ט letters.

**Step 1**

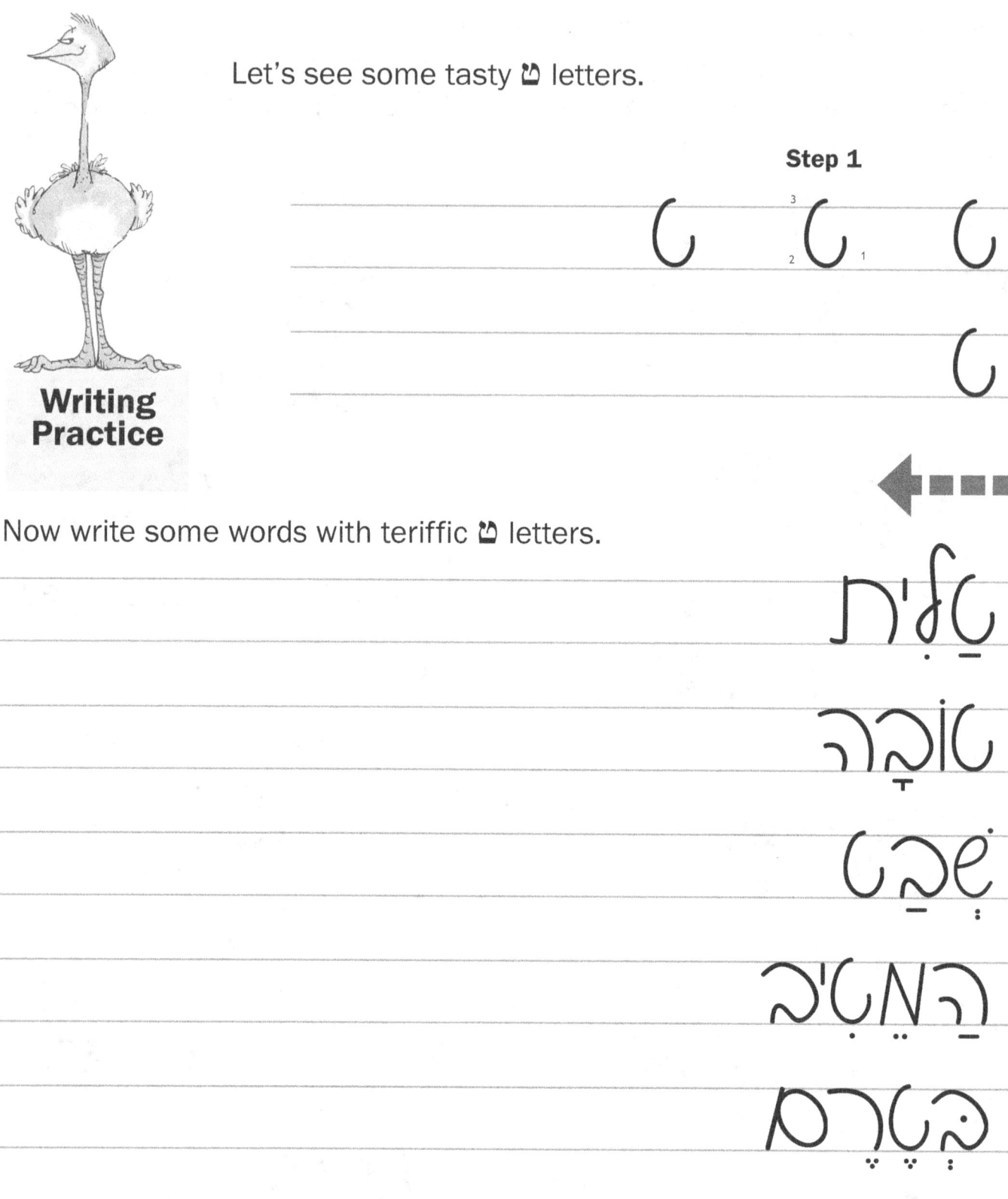

ט ט ט

ט

Now write some words with teriffic ט letters.

טַלִּית

טוֹבָה

שְׁבַט

הַמֵּטִיב

בְּטֶרֶם

מָטָר

Oh My! These sheep can't find their lambs.
Read the word on each sheep and find the lamb whose word is similar to the word on the sheep. Draw a line from each lamb to its proper sheep. Read the word aloud to be sure you are correct.

## Printing Practice

Now it's time to practice making the ע letter.

Step 2 Step 1

ע ע ע ע

ע

Now work on printing these words that have an ע.

עַל

עַם

עוֹלָם

עֶרֶב

מַעֲרִיב

עֲמִידָה

Practice these words.

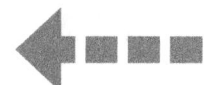

1. עוֹלָם בִּימָה דְבַשׁ דֶלֶת שָׁלוֹם

2. תּוֹרָה לֵב מוֹרָה אֲרוֹן אָדָם שַׁבָּת

3. נֵר תָּמִיד הָמָן רַב רִמוֹנִים נֵר

4. וֶרֶד וַשְׁתִּי וָו טוֹב טֶבַע עַם נֵרוֹת

5. תַּלְמִיד מְנַהֶלֶת תַּלְמִידִים מְנַהֵל שָׁנָה

6. תַּלְמִידוֹת מוֹרֶה תַּלְמִידָה רַעֲשָׁן

Circle the two words on each line that are spelled differently but sound *exactly* alike.

7. טוֹב עֵת אוֹת לֵב אֵת אַתְּ בֵּית רַב

8. אוֹר עוֹל תּוֹר שׁוֹר עוֹד אֵל עוֹר טוֹב

9. רוֹעֶה מוֹרֶה תּוֹרָה רוֹאֶה תּוֹאֶה טוֹבָה

10. אָמִיר טָמִיר אוֹמֵר שׁוֹמֵר תָּמִיר תָּמָר

You have won a five minute shopping spree! Race your way through the store, reading each word. When you read a word correctly, put the points in your shopping cart.

# LESSON 15

Here are a lot of words from the Siddur that you can read!

1. מוֹדֶה אֲנִי מֶלֶךְ רַבָּה אָבוֹא בֵּיתֶךָ
2. מַלְבִּישׁ מַתִּיר שֶׁאָמַר הָעוֹלָם בְּאַהֲבָה
3. אַשְׁרֵי יוֹשְׁבֵי בֵיתֶךָ עוֹד הָעָם שֶׁכָּכָה
4. אֲרוֹמִמְךָ מֶלֶךְ שִׁמְךָ לְעוֹלָם וָעֶד מֶלֶךְ
5. וַאֲהַלְלָה שִׁמְךָ דּוֹר לְדוֹר כְּבוֹד הוֹדֶךָ
6. לְהוֹדִיעַ לִבְנֵי הָאָדָם שְׁמוֹ לְדָוִד עֵינֵי
7. וְאַתָּה נוֹתֵן לָהֶם אֶת בְּעִתּוֹ שְׁמַע אֵל
8. וְאֶת שַׁוְעָתָם וִיבָרֵךְ מֵעַתָּה וְעַד עוֹלָם
9. וְאָהַבְתָּ אֶת הַדְּבָרִים עַל לְבָבֶךָ וְנוֹרָא
10. שָׁלוֹם רָב לְבָנֶיךָ וְדִבַּרְתָּ בְּשִׁבְתְּךָ בְּבֵיתֶךָ
11. מֵתִים אַתָּה רַב לְהוֹשִׁיעַ מוֹרִיד טָל

Practice printing the כּ , כ and the ך.

**Printing Practice**

Step 2   Step 1

כּ   כּ   כּ

Step 1

כ   כ

Step 1

ך   ך

כֶּלֶב

כָּבוֹד

כּוֹכָב

בְּרָכָה

מֶלֶךְ

לְבָבְךָ

# It's a Puzzlement

Can you write each word in the correct boxes?

Uh Oh! There is an extra word!

When you identify the extra word, cross it out.

Down

מְאוֹדֶךָ

לְבָנֶיךָ

תַּאֲרִיךְ

עֵינֶיךָ

בְּכִי

שִׁמְךָ

Across

בֵּיתֶךָ בְּךָ

כֵּן אוֹרְךָ

לְבָבְךָ תַּהֲלִיךְ

שִׁכּוֹר נֶאֱמָן

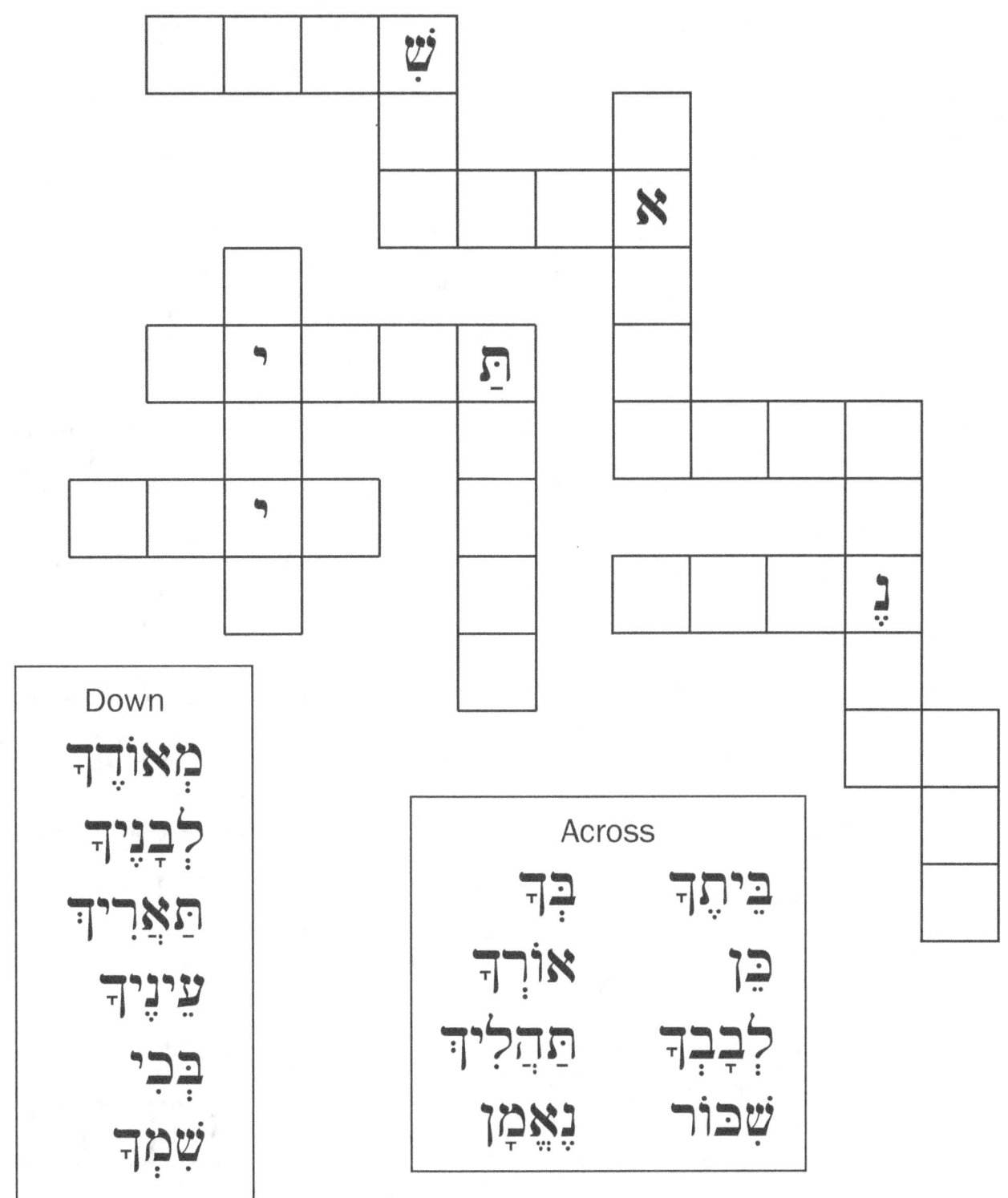

## Printing Practice

Practice printing the י.

**Step 2** **Step 1**

יוֹם

יָד

יַעַר

יַמִּים

יַיִן

יַבָּשָׁה

יֶלֶד

יַלְדָּה

Practice these words from the prayer אַשְׁרֵי.

1. אַשְׁרֵי יוֹשְׁבֵי בֵיתֶךָ שִׁמְךָ יוֹם
2. לְעוֹלָם וָעֶד אֱלוֹהַי לְדוֹר הֲדַר
3. כְּבוֹד שֶׁכָּכָה הָעָם הוֹדְךָ וְדִבְרֵי
4. טוּבְךָ יַבִּיעוּ טוֹב יוֹדוּךָ יְבָרְכוּכָה
5. מַלְכוּתְךָ יְדַבֵּרוּ לְהוֹדִיעַ לִבְנֵי הָאָדָם
6. מַלְכוּתוֹ עֵינֵי וְאַתָּה נוֹתֵן לָהֶם בְּעִתּוֹ
7. וְאֵת שַׁוְעָתָם יִשְׁמַע וְיוֹשִׁיעֵם שׁוֹמֵר
8. הָרְשָׁעִים יַשְׁמִיד נְבָרֵךְ מֵעַתָּה וְעַד עוֹלָם

Here are some vocabulary words you can read.

יָד יְרוּשָׁלַיִם לֵב נֵר תָּמִיד רַעֲשָׁן

Help these airplanes come to a smooth landing.
Try to read each siddur phrase in a single breath.
Which plane made the smoothest landing?

# LESSON 17

**Printing Practice**

Step 2　Step 1

ח　ח　ך　ח

חֹ

חָבֵר

חָלָב

לֶחֶם

חֲנֻכָּה

חַלָּה

לוּחַ

מַחְבֶּרֶת

Sound out these siddur words that have "OH" in them.

1. אֱלֹהֵינוּ הַמְבֹרָךְ וְהַכֹּל לִלְמֹד
2. שָׁמֹעַ אָנֹכִי וּבְכָל מְאֹדֶךָ
3. שֶׁבְּכָל נֹתֵן לֵאמֹר כָּמֹכָה

Here are some siddur phrases to work on.

4. אַהֲבָה רַבָּה אֲהַבְתָּנוּ
5. וִיתֵרָה חֲמַלְתָּ עָלֵינוּ
6. וְתֵן בְּלִבֵּנוּ לְהָבִין
7. לְהוֹדוֹת לְךָ וּלְיַחֶדְךָ בְּאַהֲבָה
9. אָבִינוּ מַלְכֵּנוּ בַּעֲבוּר אֲבוֹתֵינוּ שֶׁבָּטְחוּ בְךָ
9. אָבִינוּ הָאָב הָרַחֲמָן הַמְרַחֵם רַחֵם עָלֵינוּ
10. וְיַחֵד לְבָבֵנוּ לְאַהֲבָה וּלְיִרְאָה אֶת שְׁמֶךָ

Race your frog against your neighbor's frog by reading all the words on your track correctly. The first frog to finish is the winner.

You can also use your frogs for a team effort. Each member of the team "leaps" to the next word.

Right track (Start Here):
מַלְכֵּנוּ
כָּל
לֶחֶם
נֹחַ
שׁוֹבֵר
חָנָה
לוּחַ
בָּחַר
חֲבֵרִים
רֹאשׁ
אַחֶרֶת
אֲדֹנָי
שׁוֹלַחַת
שַׁחֲרִית
אֱלֹהֵינוּ
אֲרֻחָה
מַעֲלוֹת
וּבֵרַכְתָּ
וּבְטוּבוֹ
נְבָרֵךְ

Left track (Start Here):
לֹא
חֶדֶר
כֹּחַ
מֶלֶךְ
נִשְׁבַּר
רֵיחַ
מֶלַח
אַחֲרֵי
חֹדֶשׁ
בָּרוּךְ
אָנֹכִי
יוֹדַעַת
מַחְבֶּרֶת
אֱלֹהִים
בַּכָּתוּב
וּלְשׁוֹנֵנוּ
וְאָכַלְתָּ
רַבּוֹתַי
יְבָרֵךְ
אָבִינוּ

# LESSON 18

Play Tic Tac Toe with a friend.

If you read the word correctly, you may mark it X or O.

| | | |
|---|---|---|
| מָטוֹס | הַנִסִים | יַסְבִּיר |
| מְסִבָּה | חֲרֹסֶת | סְבִיבוֹן |
| כִּסֵא | אָסוּר | מַסֵכָה |

| | | |
|---|---|---|
| חֶסֶד | סַבָּא | טִיסָה |
| סִינַי | כִּסְאוֹ | סוֹמְכִים |
| הַסְכָּמָה | מְסַיֵם | סַבְתָּא |

| | | |
|---|---|---|
| סִדּוּר | חָסִיד | בְּסֵדֶר |
| סֻכּוֹת | סְעֻדָה | מִסְעָדָה |
| טַוָס | סוֹמֵךְ | סְבִיבָה |

Here are some words you know how to read.
How many words do you recognize?

1. מְנַהֵל מְנַהֶלֶת מוֹרֶה מוֹרָה
2. שֻׁלְחָן כִּסֵא לוּחַ דֶלֶת רַעֲשָׁן
3. נֵרוֹת כּוֹס יַיִן חַלָה חֲנֻכִּיָה סְבִיבוֹן
4. חֹשֶׁן יָד לוּלָב מַחְבֶּרֶת סֻכָּה
5. בִּימָה נֵר תָמִיד תּוֹרָה סִדּוּר טַלִית

## Printing Practice

Print some spectacular ס letters here:

**Step 2** **Step 1**

ס

And some ס words here:

סֵדֶר

סִדוּר

סֻכָּה

סֻכּוֹת

סִינַי

סְבִיבוֹן

מִסְעָדָה

חֲרֹסֶת

# The Great Balloon Race

Read the prayer phrases in each balloon. Read the phrases again and time yourself. BUT each time you make an error, start all over again.

After you have practiced a few times, challenge a friend to a race.

יְהִי שֵׁם יי מְבֹרָךְ
מֵעַתָּה וְעַד עוֹלָם
יי מֶלֶךְ יי מָלָךְ יי יִמְלֹךְ

time ____________ seconds

יי יִמְלֹךְ לְעוֹלָם וָעֶד
דְּרָכֶיהָ דַרְכֵי נֹעַם
וְכָל נְתִיבוֹתֶיהָ שָׁלוֹם

time ____________ seconds

LESSON 19

# Non-identical Twins

Here are word twins (or triplets) that look alike, but are NOT alike.
Can you read them? Be very careful!

1. דוֹר דוֹד דוּד
2. מָהִיר מְחִיר
3. טָמַן מַתָּן
4. כְּאֵב כְּאָב כָּאַב
5. בְּכוֹרָה בְּכִירָה
6. כִּלְכֵּל בִּלְבֵּל
7. מוֹרֵד מוֹדֵד
8. דוֹר דוֹד
9. מָרוֹר מָדוֹר
10. בָּבַת בַּבַּת
11. שָׁבָּת שָׁבַת
12. אָדוֹן אָרוֹן
13. כְּלוּם כְּלוּב
14. לָרֶדֶת לָלֶדֶת
15. שְׁלוֹם שָׁלוֹם
16. מָטָר תָּמָר
17. בָּרוּךְ בָּרוּךְ
18. לִשְׁמוֹר לִשְׁבּוֹר
19. כַּלָה בָּלָה
20. לָכַד לַכַּד

**Printing Practice**

Make some scintillating שׂ letters.

**Step 3** **Step 2** **Step 1**

שׂ

Now make some words with simmering שׂ letters.

שָׂדֶה

שִׂיחָה

שִׂמְחָה

שִׂמְחַת תּוֹרָה

Now write the שְׁמַע. Be careful with this page because God's name is on it.

1. שְׁמַע יִשְׂרָאֵל יי אֱלֹהֵינוּ יי אֶחָד.

2. בָּרוּךְ שֵׁם כְּבוֹד מַלְכוּתוֹ לְעוֹלָם וָעֶד.

Please help me pack my שְׁמַע suitcase.
Draw a line from each שְׁמַע word to my suitcase. Cross out the rest.
Can you say the שְׁמַע?

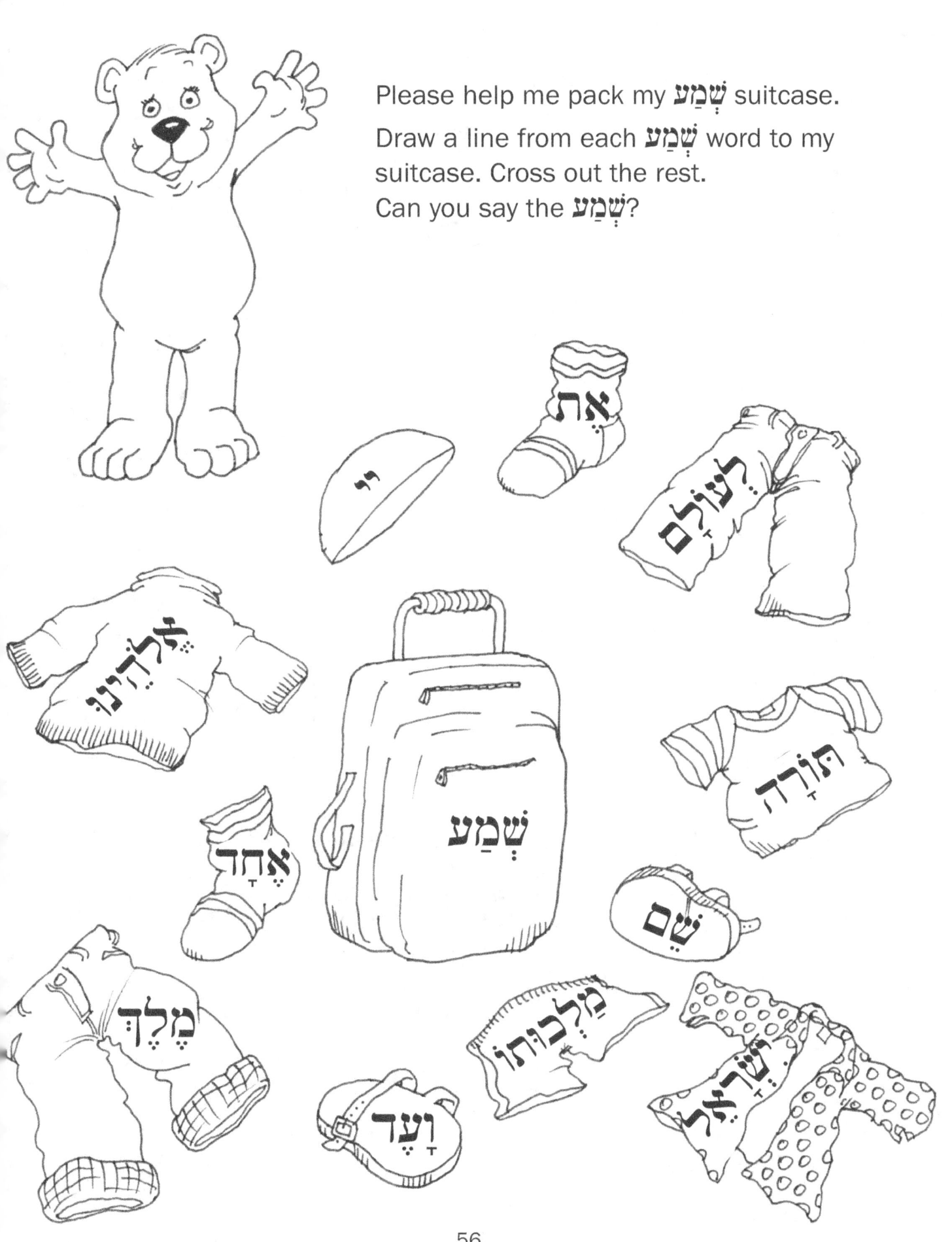

LESSON 20

## Printing Practice

Step 3 Step 2 Step 1

פּ פּ פּ פּ

Step 2 Step 1

פ פ פ

Step 2 Step 1

ף ף ף ף

פָּנִים

סוֹפֵר

עוֹף

פְּרִי

טוֹטָפוֹת

אָלֶף

Draw a line from each holiday's picture to its Hebrew name.

פֶּסַח

שָׁבוּעוֹת

רֹאשׁ הַשָּׁנָה

יוֹם כִּפּוּר

סֻכּוֹת

שִׂמְחַת תּוֹרָה

חֲנֻכָּה

פּוּרִים

שַׁבָּת

אֲדָמָה

Here is the בְּרָכָה we say before we eat fruits or vegetables that grow in the ground.

בָּרוּךְ אַתָּה יי אֱלֹהֵינוּ מֶלֶךְ הָעוֹלָם

בּוֹרֵא פְּרִי הָאֲדָמָה.

Name five fruits or vegetables that grow in the ground.

It's a race to catch the taxi. Read each line and mark down your time. Who will reach the taxicab first?

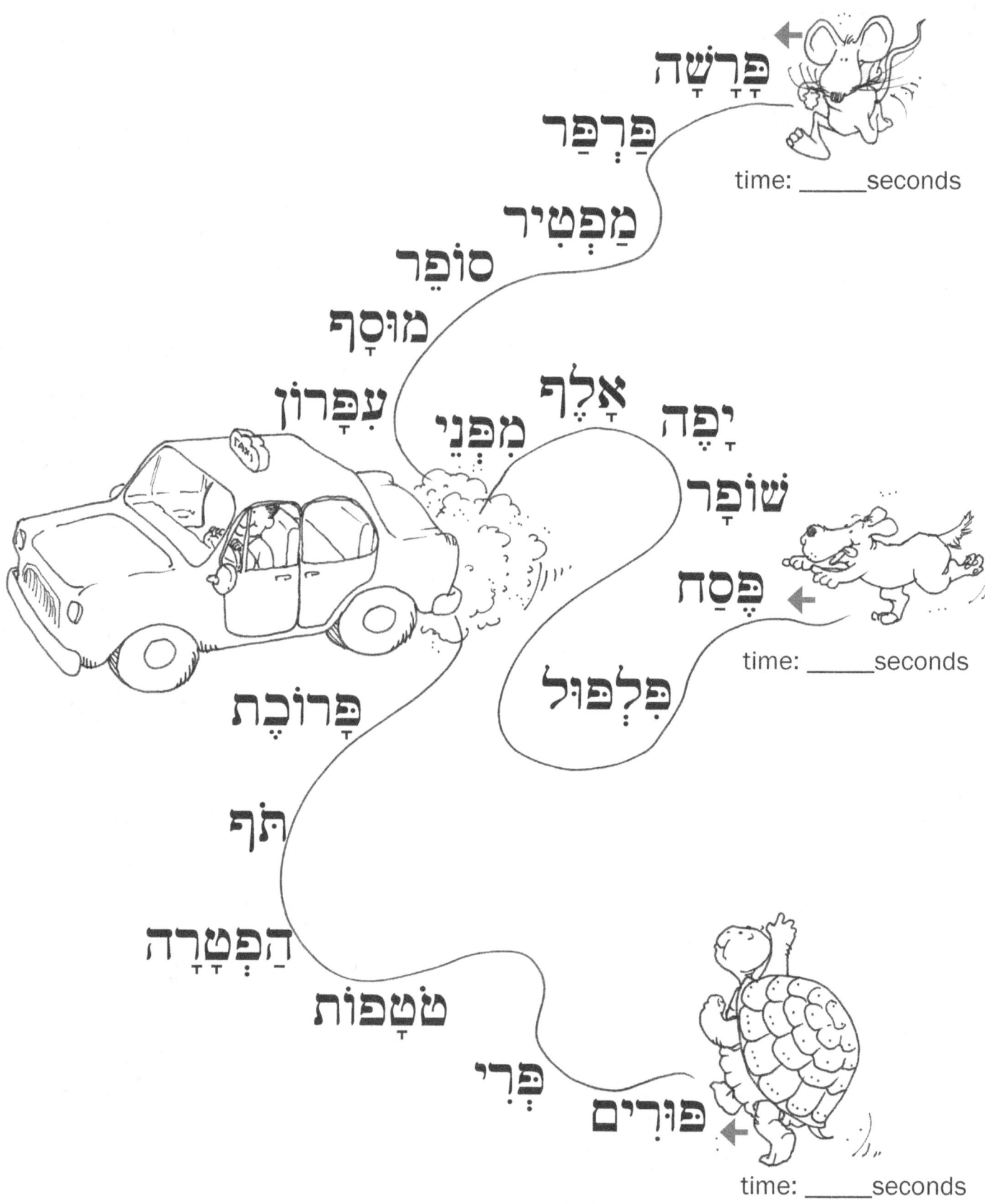

time: _____ seconds

time: _____ seconds

time: _____ seconds

**Printing Practice**

## LESSON 21

Step 2 Step 1

ד

זָהָב

זֶרָע

זִכָּרוֹן

זֶמֶר

זְמִירוֹת

מְזוּזָה

וְזֹאת

אָחוּז

**Bingo:** Make your own board. Write 24 of these words the open Bingo squares. Your teacher will help you play Bingo.

| מַזְכִּיר | פַּרְפַּר | מֶרְכָּז | תַּפּוּחַ | סִדּוּר |
| --- | --- | --- | --- | --- |
| זָהָב | זֶמֶר | תַּפּוּז | נֶאֱמָן | סֻכָּה |
| סוֹפֵר | בַּרְוָז | חָלָב | חֲנֻכָּה | כַּרְפַּס |
| שׁוֹפָר | מָזוֹן | פּוּרִים | פֶּסַח | מְזוּזָה |

|  |  |  |  |  |
| --- | --- | --- | --- | --- |
|  |  |  |  |  |
|  |  | חָפְשִׁי<br>FREE |  |  |
|  |  |  |  |  |
|  |  |  |  |  |

# Capture the Flag

Play with a friend or two!

Take turns choosing a box and reading the word.

If you are correct, put your initials in the box.

| 2 points | 1 point | 2 points | 3 points | 3 points | 2 points | 1 point |
|---|---|---|---|---|---|---|
| מַזָל | זֹאת | לַזְמַן | חֳדָשִׁים | כְּזַיִת | חַזָן | יוֹם |
| 2 points | 1 point | 2 points | 1 point | 2 points | 3 points | 3 points |
| זוֹכֵר | הוּא | לַיְלָה | יֵשׁ | מֶלֶךְ | מַעֲמָד | מַלְכֵּנוּ |
| 3 points | 2 points | 1 point | 1 point | 3 points | 2 points | 3 points |
| מִזְבֵּחַ | זָהָב | טוֹב | זֶה | לִישֵׁנִי | סוֹמֵךְ | בְּחֶסֶד |
| 2 points | 3 points | 1 point | 2 points | 3 points | 3 points | 2 points |
| אָחוּז | מְזוּזָה | פִיל | שָׂפָה | טֹטָפוֹת | עִפָּרוֹן | מֹשֶׁה |

When all the boxes are filled, add up each player's points.
Who has captured the flag?

Player #1: _____   Player #2: _____   Player #3: _____

## LESSON 22

Below are the words for אֶחָד מִי יוֹדֵעַ that we sing at the end of the Passover Seder. How many of these words can you read? Begin by counting off.

1. אַחַת שְׁתַּיִם שָׁלֹשׁ אַרְבַּע חָמֵשׁ שֵׁשׁ שֶׁבַע

2. שְׁמוֹנֶה תֵּשַׁע עֶשֶׂר אַחַת-עֶשְׂרֵה שְׁתֵּים-עֶשְׂרֵה

3. אֶחָד מִי יוֹדֵעַ? אֶחָד אֱלֹהֵינוּ. שְׁנֵי לוּחוֹת הַבְּרִית.

4. שְׁלֹשָׁה אָבוֹת. אַרְבַּע אִמָּהוֹת. חֲמִשָּׁה חֻמְשֵׁי תוֹרָה.

5. שִׁשָּׁה סִדְרֵי מִשְׁנָה. שִׁבְעָה יְמֵי שַׁבַּתָּא.

6. שְׁמוֹנָה יְמֵי מִילָה. תִּשְׁעָה יַרְחֵי לֵדָה. עֲשָׂרָה דִבְּרַיָּא.

Here are some more phrases from the Siddur that you can read!

1. גּוֹלֵל אוֹר מִפְּנֵי חֹשֶׁךְ וְחֹשֶׁךְ מִפְּנֵי אוֹר

2. הָאֵל הַגָּדוֹל הַגִּבּוֹר וְהַנּוֹרָא אֵל עֶלְיוֹן

3. וְעִם רוּחִי גְּוִיָּתִי יְיָ לִי וְלֹא אִירָא אֲדוֹן עוֹלָם

4. כִּי הֵם חַיֵּינוּ וְאֹרֶךְ יָמֵינוּ וּבָהֶם נֶהְגֶּה יוֹמָם וָלָיְלָה

Now let's see some glorious ג letters.

**Step 2** **Step 1**

ג ג ג

Now try these words with grand ג letters.

גָּדוֹל

גָּדַל

הַגָּדָה

גֶּפֶן

הַגֶּפֶן

עוּגָה

עוּגִיּוֹת

גֶּשֶׁם

**Printing Practice**

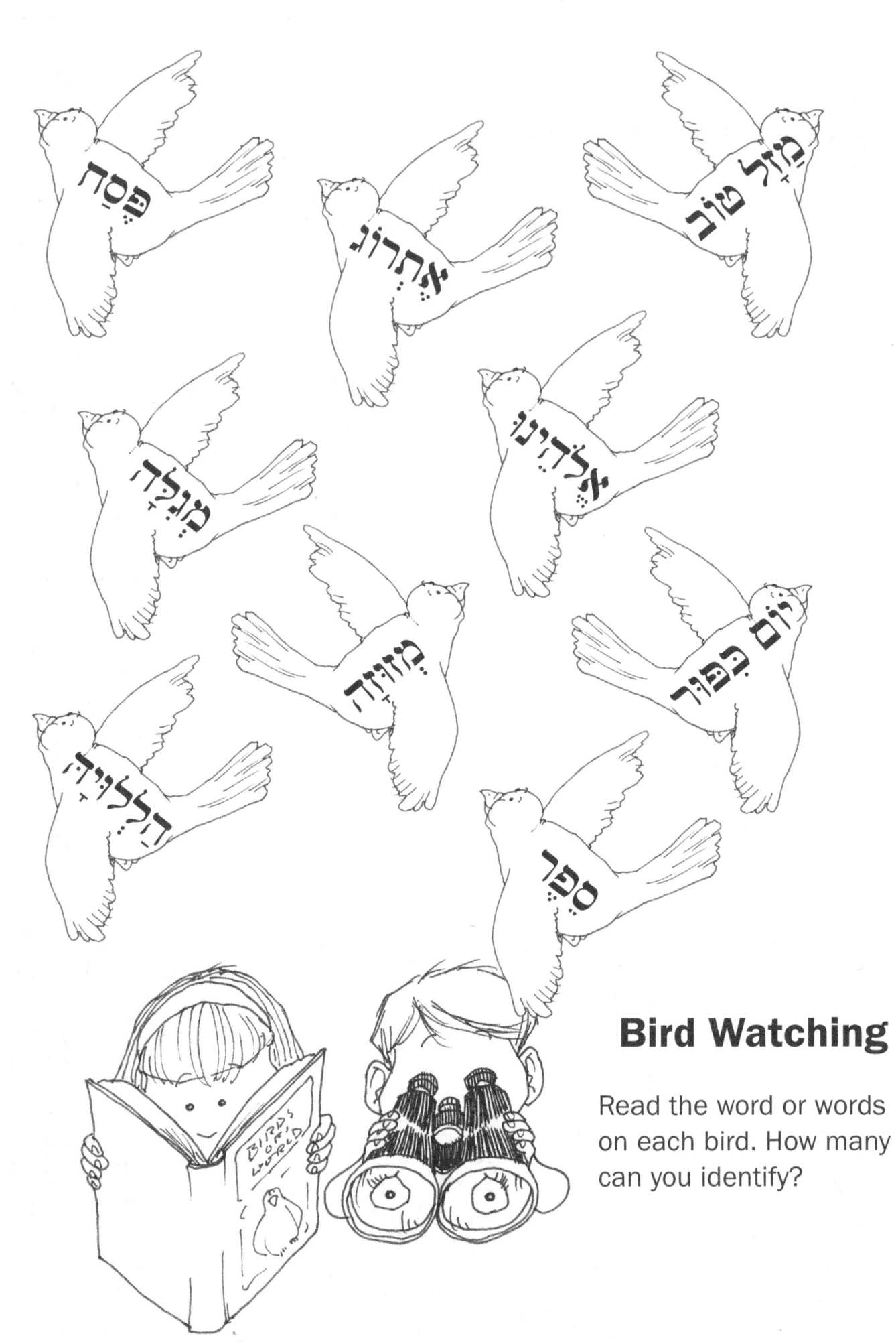

## Bird Watching

Read the word or words on each bird. How many can you identify?

# LESSON 23

Can you make some cute ק letters?

**Step 2**  **Step 1**

ק   ק   ק

Now try these words with cool ק letters.

קָדוֹשׁ

קִדּוּשׁ

קְהִלָּה

קוֹל

קָטָן

זָקֵן

חָזָק

חֲזָקָה

Play a game with some of the words you can now read.
Divide the class into two or three groups.
When you call on a group, one of its members should choose a column and point value by saying "I'll take Column 2 for 300 points." If the word is sounded correctly, the full point value should be awarded. When you've finished, each group should tally its score.

| | Column 1 | Column 2 | Column 3 | Column 4 | Column 5 | Column 6 |
|---|---|---|---|---|---|---|
| **100** | בֶּטֶן | תַּלְמִיד | אַף | גִּיר | שְׁמוֹנֶה | לֶחֶם |
| **200** | יָד | מוֹרָה | פֶּה | דֶּלֶת | עֶשֶׂר | חָלָב |
| **300** | מוֹרֶה | עַיִן | סֵפֶר | כּוֹס | תֵּשַׁע | בָּשָׂר |
| **400** | תַּחַת | תַּלְמִידָה | שֵׂעָר | לוּחַ | שֶׁבַע | סַכִּין |
| **500** | רַגְלַיִם | מְנַהֵל | פָּנִים | עִפָּרוֹן | אֶפֶס | עוּגִיּוֹת |
| **600** | גַּב | מְנַהֶלֶת | מַחְבֶּרֶת | שְׁתֵּים עֶשְׂרֵה | תַּפְרִיט | עִוֵּר |
| **700** | יַעֲקֹב | כְּתֵפַיִם | תַּפּוּחִים | מְלָפְפוֹן | מַזְלֵג | קָדוֹשׁ |
| **800** | סִגְסֵג | עוּגִיּוֹת | עַגְבָנִיָּה | אֲרוֹן- הַקֹּדֶשׁ | כַּוָּנָה | כִּוּוּן |

Fill in the missing letter in each prayer phrase.

Read each phrase as fast as you can.

How fast can each plane fly?

בָּרוּךְ יי הַמְבֹרָךְ לְעוֹ_ָם וָעֶד

time: _____seconds

וְאָ_ַבְתָּ אֵת יי אֱלֹהֶיךָ

time: _____seconds

יי יִ_ְלֹךְ לְעוֹלָם וָעֶד

time: _____seconds

הָאֵל הַגָּדוֹל הַ_ִבּוֹר וְהַנּוֹרָא

time: _____seconds

מַה טֹּבוּ אֹהָלֶיךָ יַ_ֲקֹב

time: _____seconds

שָׁלוֹם רָב עַל יִשְׂ_ָאֵל עַמְּךָ

time: _____seconds

## Printing Practice

Pleaze make tzome tzatisfactory צ letterz and wordz.

| Step 2 | Step 1 | |
|---|---|---|
| צ | צ | צ |

| Step 2 | Step 1 | |
|---|---|---|
| ץ | ץ | ץ |

צֶדֶק

צְדָקָה

צִיצִת

צְפַרְדֵּעַ

עֵץ

אֶרֶץ

חָלוּץ

Here are some בְּרָכוֹת. Some are said before or after eating.
Some are said for special things. Just read line 1 before each of the other lines.

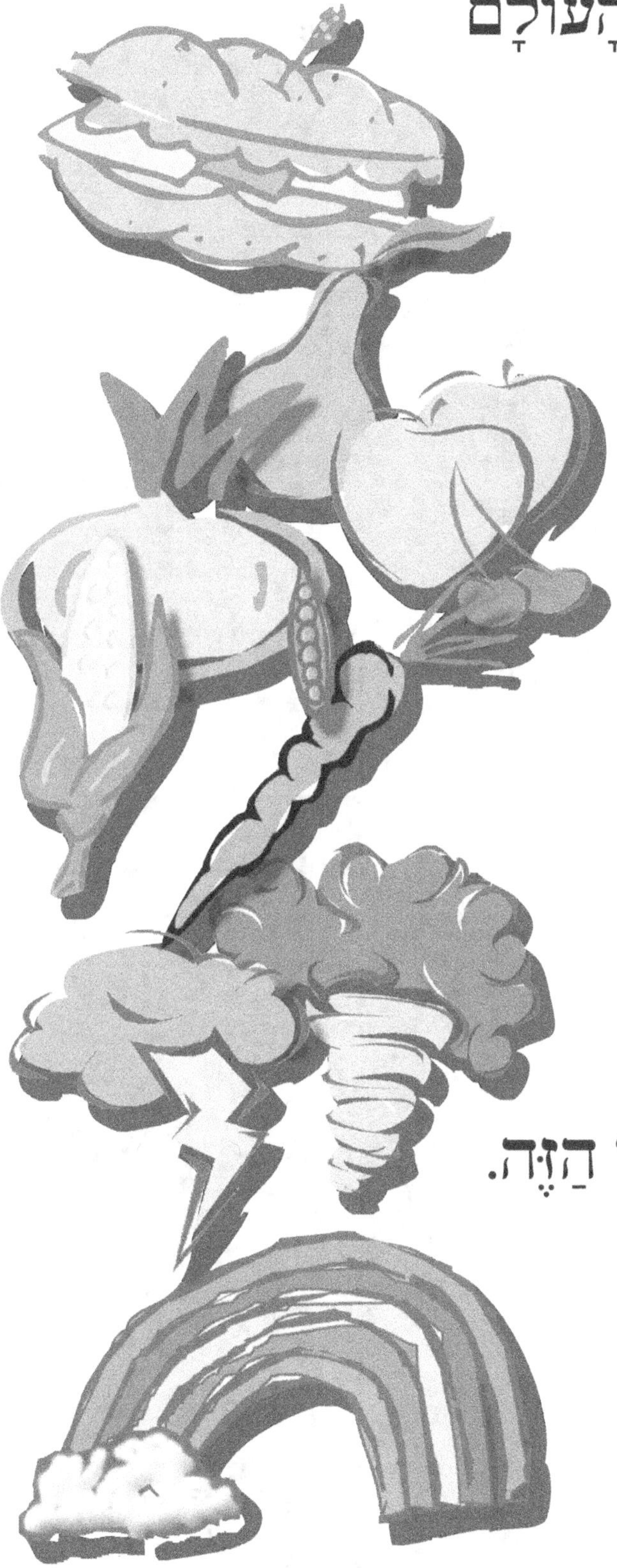

1. בָּרוּךְ אַתָּה יְיָ אֱלֹהֵינוּ מֶלֶךְ הָעוֹלָם

2. הַמּוֹצִיא לֶחֶם מִן הָאָרֶץ.

3. בּוֹרֵא פְּרִי הַגָּפֶן.

4. בּוֹרֵא פְּרִי הָעֵץ.

5. בּוֹרֵא פְּרִי הָאֲדָמָה.

6. הַזָּן אֶת הַכֹּל.

7. בּוֹרֵא מִינֵי מְזוֹנוֹת.

8. שֶׁהַכֹּל נִהְיֶה בִּדְבָרוֹ.

9. שֶׁהֶחֱיָנוּ וְקִיְּמָנוּ וְהִגִּיעָנוּ לַזְּמַן הַזֶּה.

10. עוֹשֶׂה מַעֲשֵׂה בְרֵאשִׁית.

11. שֶׁכֹּחוֹ וּגְבוּרָתוֹ מָלֵא עוֹלָם.

Here are some more בְּרָכוֹת. We say these when we do something that is a מִצְוָה, a commandment. Just read lines 1 and 2 before each of the other lines.

Can you guess when we say each בְּרָכָה?

1. בָּרוּךְ אַתָּה יְיָ אֱלֹהֵינוּ מֶלֶךְ הָעוֹלָם
2. אֲשֶׁר קִדְּשָׁנוּ בְּמִצְוֹתָיו וְצִוָּנוּ
3. לְהַדְלִיק נֵר שֶׁל שַׁבָּת.
4. לְהַדְלִיק נֵר שֶׁל חֲנֻכָּה.
5. עַל מִקְרָא מְגִלָּה.
6. עַל אֲכִילַת מַצָּה.
7. עַל אֲכִילַת מָרוֹר.
8. לִשְׁמוֹעַ קוֹל שׁוֹפָר.
9. לֵישֵׁב בַּסֻּכָּה.
10. עַל נְטִילַת לוּלָב.
11. לִקְבֹּעַ מְזוּזָה.

# Proud as a Peacock!

In each feather, write a letter you have learned. Use plenty of color. We are proud of you!

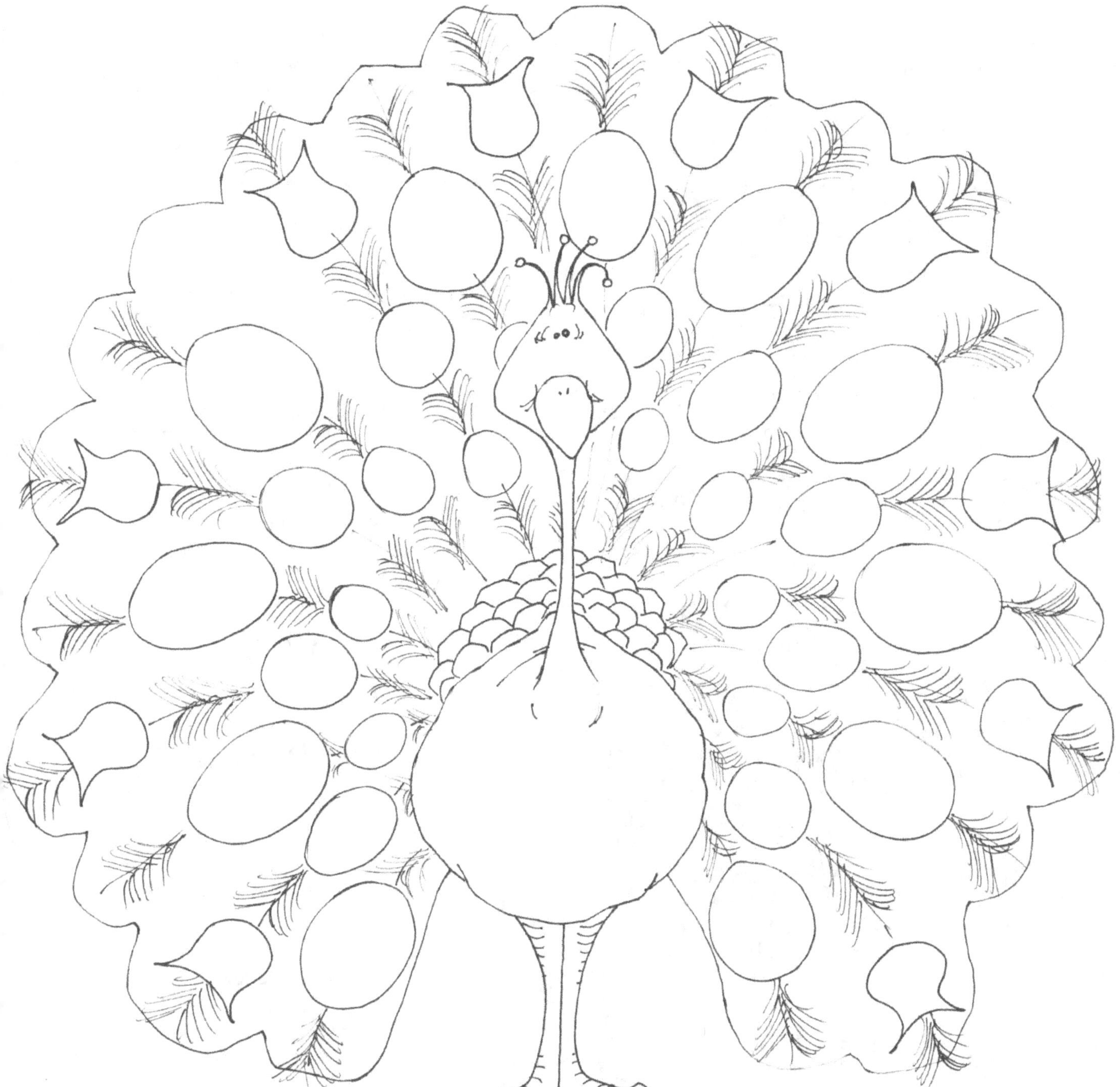